Saint-Etienne
Chemins de traverse

© ÉDITIONS LYONNAISES D'ART ET D'HISTOIRE
3, quai Claude-Bernard - 69007 LYON
Tél. 04 78 72 49 00 - Fax. 04 78 69 00 48
ISBN : 2-84147-054-7

Martine FONT
Christian BRUCHET

Saint-Etienne
Chemins de traverse

Traduction anglaise de Betty BEELER

EDITIONS LYONNAISES D'ART ET D'HISTOIRE

Oublieuse mémoire... écrit le poète.

Et si ce n'était qu'un effet de style.

Et si, parce que l'histoire de Saint-Etienne ne remonte à aucunes calendes grecques, parce que les voies romaines ne l'ont jamais traversée, parce que le destin de la ville ne s'est forgé qu'à la première ère industrielle... Saint-Etienne justement ne conservait que cette image de ciel de suie «encrée» dans toutes les mémoires parce que des milliers de petits écoliers d'une même génération ont eu pour livre de lecture -donc de chevet- *Le Tour de France par deux enfants* de G. Bruno. Saint-Etienne au détour d'une page s'y dessinait hérissée de plus de deux cents puits de mine et leurs chevalements et de hautes cheminées d'usines, ville minière et sidérurgique, laborieuse et ouvrière.

Les images d'Epinal sont tenaces, insidieuses, arrêtées dans le temps, immuables, et le temps qui passe, qui use, qui casse, qui innove, transforme, crée, ce temps n'a plus aucune prise sur elles. Elles demeurent alors traîtreusement anachroniques.

Or Saint-Etienne ne mérite plus cette image.
Saint-Etienne, ville verte, blanche ou pastelle, ville bouleversante parce que bouleversée par les événements, ville de la modernité obligée, forcée à une restructuration drastique de pans entiers de son économie, ville chantier qui ose les grands noms de l'architecture d'aujourd'hui, Bofill, Kroll ou Wilmotte parce qu'elle connut hier les Dal Gabio, les Lamaizière ou encore Bossu et ses maisons sans escalier, ville imaginative, entreprenante, énergique, astucieuse, inventive, quelquefois velléitaire mais si obstinée...

Saint-Etienne, c'est cette ville de montagne qui s'est installée à quelque 550 m d'altitude sur ce rebord escarpé du Massif Central parce qu'il y avait là affleurement de houille... et la houille lui valut -outre cette image comme un ciel de traîne- son assise, son essor industriel et démographique, son histoire et son paysage redessiné jusqu'à son urbanisme. La houille ce fut l'or de la ville et si, depuis des années, la mine est entrée dignement au musée, Saint-Etienne, qui ne renie en rien ce passé, l'a aujourd'hui dépassé, recomposé. Jusqu'à ces crassiers -ces terrils stéphanois- devenus verts dont certains sommets fument encore par temps de bruine au-dessus du Puits Couriot.

Surplombée au sud par le Massif du Pilat, qui en l'enclavant lui offre aussi une immense bouffée d'oxygène aux portes de la ville, dominée au couchant par les Monts du Forez et les plateaux vellaves et au levant par les contreforts des Monts du Lyonnais, Saint-Etienne en s'installant là recherchait les difficultés.

Difficultés de liaisons, difficultés de communications, difficultés de circulations. Et d'extension certes. Saint-Etienne n'est pas une ville carrefour. Loin de là. Ou cela se serait su. Il y a bien longtemps, à l'époque des stratèges romains qui urbanisèrent la Gaule Chevelue. Méthodiquement. Rationnellement. Ils ignorèrent superbement la vallée du Furan. Et pour cause. De Rome nulle trace, même furtive, à Saint-Etienne.

Et de cet enclavement Saint-Etienne souffre encore, qui dénonce l'engorgement de ses liaisons routières, autoroutières et ferroviaires. Et qui aborde le XXIe siècle avec ce handicap certain hérité de plusieurs siècles d'attentisme troué de quelques velléités tardives d'ouverture en direction de Lyon -inévitable- et de Clermont-Ferrand.

Faut-il voir dans la linéarité de son grand axe de développement -ce que les Stéphanois appellent encore aujourd'hui la Grand'Rue- la reconnaissance de la seule voie de communication nord-sud, comme une promesse vers de nouvelles frontières hélas bornées.

Plusieurs lectures de la ville sont possibles. Plausibles. Faciles.

Son urbanisme est comme un cas d'école. De ces villes-rue qui se construisent selon cartes et plans, en damier, d'îlots en îlots, occupant systématiquement l'espace sous la pression d'un essor démographique sans précédent mais en respectant les trouées d'un *cardo* -moderne- méridien traversant la ville du nord au sud et de lignes-rues perpendiculaires, avec même le tracé d'un *decumanus* suivant les actuelles rues de la République et Michel-Rondet, et en se réservant de nouveaux forums, places ou jardins publics.

Il est un itinéraire Dal Gabio...

Saint-Etienne redessinée ainsi par deux architectes-voyers, Pierre-Antoine et Jean-Michel Dal Gabio, à la fin du XVIIIe et au début du XIXe siècle, se dote d'un nouveau centre ville, autour d'un nouvel Hôtel de Ville, d'un Palais de Justice, d'un collège, d'un même et unique bâtiment réunissant la Condition des Soies et la Bourse, aujourd'hui la Maison des Avocats, rue de la Résistance... Etonnante métamorphose d'une ville entière qui réussissait à saborder son ancien espace urbanisé pour mieux répondre à un essor industriel et économique d'importance.

D'aucuns ont eu quelque regard méprisant sur cette architecture civile et monumentale, jugée médiocre, peu ambitieuse parce que néoclassique... mais sur quels critères ?

Les Dal Gabio se sont penchés sur les plans de l'Hôtel de Ville et c'est un peu de soleil d'Italie qui est venu se perdre à Saint-Etienne. Jadis surmonté d'un dôme, c'est vrai qu'aujourd'hui il semble avoir perdu de sa superbe latine mais la Métallurgie et la Rubanerie veillent à son chevet...»statues endormies qui rêvent /Statues blêmies. C'est le destin de l'homme» a écrit Apollinaire.

Au sud comme au nord s'ouvrent de grandes places publiques, aujourd'hui place Jean-Jaurès, place de l'Hôtel de Ville et place Badouillère -ou Anatole-France-, autour desquelles viendront s'installer ceux qui vont «faire» la ville. La concevoir. La bâtir. L'accompagner dans sa croissance.

Il est un itinéraire Dal Gabio qui mène tout droit au cimetière du Crêt de Roc, l'un des quatre grands cimetières de la ville, accroché sur la colline du même nom : Pierre-Antoine en a dessiné le premier tracé en croix en 1805, Jean-Michel, le neveu, reprend l'esquisse, en exécute les plans et construit la petite chapelle ruinée en 1910 : c'est dans ce petit

Père Lachaize stéphanois que reposent nombre de personnalités de la ville : une jolie statuaire y a fleuri, émouvante expression d'une certaine immortalité.

Autre lecture. Démographique et sociale. Sur fond de lutte d'influence car il s'est agi aussi de rendre la ville *intra-muros* à la classe dominante d'alors, celle de la bourgeoisie toute rubanière qui tenta -avec succès- d'interdire le territoire municipal aux grandes industries : la Manufacture d'Armes de Saint-Etienne s'installe dans les faubourgs au-delà du centre-ville, tout comme la Manufacture d'Armes et de Cycles plus connue sous le nom de Manufrance qui prend ses aises cours Fauriel ou la manufacture de velours Giron au pied de la colline du jardin des Plantes.

Il est une lecture sociologique...

Lecture historique encore à laquelle on peut souscrire en étudiant l'architecture si caractéristique -parce que sociale et professionnelle- des immeubles qui s'élevèrent dans ce nouveau centre-ville. Autour des places Marengo ou de l'Hôtel-de-Ville par exemple. Immeubles nés de la puissance de ces nouveaux fabricants, construits autour d'une cour centrale, avec un rez-de-chaussée entresolé, trois ou quatre étages plus un galetas. Immeubles résidences et magasins entrepôts, ils sont à la fois conçus pour être un écrin de l'activité textile et regrouper à l'intérieur des fonctions administratives, techniques, commerciales et artistiques. L'immeuble assurait un statut social et confortait la notoriété du propriétaire désormais inscrite dans la pierre. L'aisance des façades, leur décoration -masques grimaçants ou cariatides- leur richesse, qui datent de la fin du XIXe siècle, ne s'offrent qu'aux regards inquisiteurs, curieux, qui s'amusent à sonder ainsi l'atmosphère d'un temps qui n'est plus certes mais qui demeure. Tout de même.

Ces immeubles, ils sont en centre-ville, dans cet espace préservé du monde de la Fabrique, en particulier le long de la Grand'Rue, rue Michelet, rue de la Résistance, rue Michel-Rondet, rue Georges-Teissier ou rue de la République. Reconnaissables entre tous.

Et l'on voit que la première grande industrie -celle du textile- influencera durablement jusqu'à l'urbanisme de la ville, délimitant ainsi des périmètres réservés : il y a celui de la Fabrique. Il y a aussi les quartiers plus périphériques des passementiers, propriétaires ou non de leur atelier ou fabrique, et qui se regroupent parce qu'ils exercent la même technique, jacquard ou tambour, velours ou autre.

L'atelier c'est un espace de travail, c'est aussi l'appartement où vit la famille. Côté rue s'installent les logements, côté jardin les ateliers munis de hautes fenêtres : il faut beaucoup d'espace pour loger les lourds métiers.

On a recensé ce patrimoine qui date du siècle dernier et l'Office du Tourisme, après une halte obligée place Louis-Comte, au musée d'Art et d'Industrie bientôt revisité par l'architecte Wilmotte, guide les pas des visiteurs attentifs à découvrir l'âme du savoir-faire, de la technique et de la belle ouvrage, à travers un dédale de ruelles qui s'éloignent peu à peu du centre-ville pour grimper à l'assaut des collines de Saint-Etienne, tissant une toile évocatrice.

Saint-Etienne se dévoile ainsi à condition que l'on veuille bien la comprendre et la prendre telle qu'elle demeure.

Le circuit des armuriers

Et si depuis ses origines, la pureté des eaux du Furan fit la renommée des armes blanches fabriquées à Saint-Etienne, la ville se forgea au fil des siècles le titre de capitale de l'arme.

Armeville à la Révolution -la ville est aussi un véritable arsenal- elle a connu les heures glorieuses de la Manufacture d'Armes rebaptisée aux sigles de la MAS puis du GIAT qui vit aujourd'hui une lente agonie.

N'empêche, les armuriers ont peut-être déposé les armes -pas tous heureusement- mais ils ont laissé leur empreinte lisible dans la trame urbaine de Saint-Etienne. Leur quartier : Saint-Roch, de la place Chavanelle, des rues Jean-Claude-Tissot ou de l'Heurton, jusqu'à Valbenoîte en passant par la rue des Armuriers, autour du fameux banc d'épreuve qui en 1988 ... quitta le quartier dont il était le noyau fort. Une délocalisation en quelque sorte, dont on ne mesure pas encore les néfastes effets.

Dans ce quartier Saint-Roch, les traboules pullulent, qui permettaient de cheminer -trans ambulare- quotidiennement d'un atelier à un autre, d'un fabricant à un artisan «travaillant en fenêtre», reliant étroitement entre eux les armuriers, assurant cette cohésion professionnelle, fraternelle a-t-on envie d'écrire.

L'imparfait n'est pas de rigueur certes, mais bientôt ce passé recomposé sera à jamais révolu. Demeurera inscrite dans la pierre ou la brique qui caractérise l'habitat de ce quartier l'impression durable que battait là le cœur de Saint-Etienne. Avec bien des bleus à l'âme.

Les chemins miniers

Alors la mine, peut-on s'interroger, quelles traces, quelles empreintes indélébiles a-t-elle laissées sur le paysage stéphanois pour imprimer à la suie la mémoire de la ville ?

Cette suie qui s'était déposée un siècle durant sur tous les monuments, sur tous les immeubles, Saint-Etienne l'a gommée, effacée, lavée : cela lui a pris du temps, mais au regard d'un siècle, que sont une dizaine d'années ?

Les façades sont blanches ou pastelles ; elles ont ressorti leurs frontons Art Déco pour certaines, leurs cariatides ou leurs encorbellements pour d'autres ; comme si un grand vent de peinture fraîche s'était abattu sur la ville, ne négligeant aucun quartier, parcourant les rues en enfilade, tournant autour des places, s'embusquant dans les moindres ruelles...

Et la ville s'harmonisa de teintes douces. La ville noire a disparu, n'en déplaise à d'aucuns. Seule la silhouette aérienne du Puits Couriot rappelle à des générations nouvelles qui n'ont pas connu la mine qu'elle était bien là, au plus profond des entrailles de son sous-sol creusé de tant de galeries qu'il existe un véritable labyrinthe où aucune Ariane ne viendra jamais dérouler de fil salvateur. Dommage pour la légende.

La mine au Puits Couriot est bel et bien entrée au musée, solennelle, digne, enrichie de la mémoire vivante de tous ceux qui ont encore dans le regard la nostalgie de l'aventure du fond. La salle des Pendus impressionne encore et l'enfer de la «descente» si rapide, si bruyante, si «courue d'air» se fait encore, casque sur la tête. Pour de vrai mais dans un musée qui se veut l'un des tout premiers en France.

Les crassiers sont devenus autant de collines vertes, ombragées mais inaccessibles comme autant de cénotaphes du labeur de la mine. Les cités minières ne se visitent pas encore. Elles n'en demeurent pas moins, témoins d'une époque, mémoire immobilière au Soleil, à Chavassieux, à Côte-Chaude, à Tardy.

A l'étude encore une restauration envisagée parce qu'il en est une, la Cité Chavassieux à Côte-Chaude, qui avait été commandée par la Compagnie des Mines de la Loire à Léon Lamaizière en 1911. Lui donnant ainsi ses lettres de noblesse et assurant au-delà de tous les clivages sociaux un pied d'égalité -pied-de-nez ?- entre le mineur et le grand bourgeois du centre-ville : Emile Blachon, Petrus Perrachon, directeur du Casino ou Henri Staron, industriel du textile, qui avaient eux aussi choisi Léon Lamaizière comme architecte privé.

Il était une fois les Lamaizière

Il faut s'attarder aux Lamaizière Léon, le père, Marcel, le fils. Parce que c'est une autre lecture de la ville. Parce qu'ils ont accompagné l'extension de la ville, une extension certes géographique en ses proches faubourgs, mais aussi économique et industrielle, commerciale et même administrative. Et Saint-Etienne, des années 1890 aux années 1925, se construit, s'embellit, s'harmonise au rythme des chantiers Lamaizière. Du bel ouvrage. La liste de leurs réalisations est impressionnante : soixante maisons habituelles ou hôtels particuliers dont le Palais Mimard 5, place Badouillère ou Anatole-France, l'hôtel Colcombet rue Lieutenant-Morin, l'immeuble David 1, allée du Rond-Point, dix-huit immeubles de rapport, quarante bâtiments industriels dont le célèbre Manufrance et quinze bâtiments commerciaux dont les Nouvelles Galeries, rue Gambetta ou le Magasin Colcombet 8, place de l'Hôtel-de-Ville plus une dizaine de bâtiments publics comme le lycée de jeunes filles, rue Gambetta, les deux hôpitaux La Charité et Bellevue, la nouvelle Bourse du Travail, la Loire Républicaine, 14, place Jean-Jaurès, la nouvelle Condition des Soies 14, rue Elisée-Reclus ou la mairie de Terrenoire.

Touche-à-tout les Lamaizière ? Sûrement bien en cour pour de telles commandes. Comme s'il n'y avait qu'eux sur la place de Saint-Etienne. C'est vrai qu'ils sont architectes de la Ville et qu'ils sont aux avant-postes pour définir les nouveaux plans d'urbanisme ; leur style ? il est reconnaissable entre tous malgré l'éclectisme de leurs talents. C'est une architecture solide, aux ambitions gothiques -un style qui n'a jamais effleuré Saint-Etienne- où l'Art Déco affleure en façade, parfois même le Modern'Style, employant aussi de nouveaux matériaux -autres que ce grès houiller stéphanois qui noircit et s'effrite au temps- qui permettent le bel appareillage, le bel ornement, qui flattent le goût du Beau même si l'on vise l'Utile.

Alors il est dans la ville des parcours Lamaizière, des sentiers battus par tous ceux qui reconnaissent en eux sinon les pères fondateurs, du moins les accompagnateurs de la soudaine évolution urbaine de Saint-Etienne. Il n'est qu'à lever les yeux pour accrocher du regard un encorbellement, un bow-window, des cartouches travaillés, une rotonde d'angle finement ouvragée, des balcons en arabesques et des rosaces de fer forgé. La signature Lamaizière se reconnaît. S'apprécie. S'ennoblit. S'installe dans la durée.

Oublieuse mémoire...?

Et si les Stéphanois avaient décidé de faire mentir le poète ? Attachés à ce patrimoine-là, qui ne remonte à aucunes calendes grecques ou romaines, s'ils mettaient un point d'honneur à le sauver de l'oubli, à réparer des ans l'irréparable outrage, à lui redonner vie et jeunesse pour perpétuer sa place, son rang et son rôle au sein de la ville, attentifs à cette perpétuation de l'hier dans la ville d'aujourd'hui, à cette imbrication du passé dans l'avenir de Saint-Etienne ? Sans aucun reniement. Mais avec tous les relais très tangibles de la mémoire.

Autre lecture possible de cette ville attachante...

Par exemple : le TGV qui relie Saint-Etienne à Paris en trois heures entre en gare de Chateaucreux toute de rouge habillée, de brique et de verre. Elle date de 1885, depuis la création de la ligne Saint-Etienne-Lyon. Ailleurs, il est des gares -pas si lointaines- orgueilleuses et fières, qui perdent le rail pour devenir hôtel des ventes aux Brotteaux à Lyon, ou musée à la gare d'Orsay sur les rives de la Seine. Ici, elle ne saurait se reconvertir, elle qui symbolise l'extraordinaire essor de ce chemin de fer qui innervera la France entière de ses aciers spéciaux sortis des forges et industries métallurgiques stéphanoises.

Il est des halles, parisiennes encore qui ne laissèrent longtemps qu'un vaste trou pour tout souvenir... A Saint-Etienne, au cœur de la ville, elles ont su remettre en valeur leur étonnante structure métallique très d'époque -1870- signée de l'architecte Mazerat tout comme le petit kiosque à musique de la place Jean-Jaurès, et repartir pour un nouveau bail... très commercial.

Longtemps Manufrance fut le fleuron de l'industrie stéphanoise, pionnière de la vente par correspondance, dotée d'un catalogue qui a fait rêver des générations de chasseurs, de pêcheurs, de cyclistes amateurs d'hirondelles et de poètes bricoleurs en herbe, un catalogue source d'inspiration de par le monde de la littérature. Manufrance n'est plus. Immense vaisseau à l'ancre du cours Fauriel, la plus belle et la plus

moderne usine en son temps est devenue tout à la fois campus universitaire abritant l'Ecole Supérieure de Commerce, l'annexe de la prestigieuse Ecole des Mines et bientôt l'Institut Régional Universitaire Polytechnique, Centre de Congrès, siège de la nouvelle Chambre de Commerce et d'Industrie et de la Caisse d'Epargne Régionale -Loire-Drôme-Ardèche-, planétarium, comme pour mieux déchiffrer les cartes de ses ciels d'avenir. Impressionnante transmission d'héritage comme si Manufrance n'en finissait pas de renaître à de nouvelles ambitions.

Ce patrimoine industriel, peut-être parce qu'il date d'une époque bénie des dieux et des déesses de l'Economie que l'on nomme métallurgie, sidérurgie, rubanerie, soierie, armurerie, ou aciérie, parce qu'il a aussi le mérite de la sobriété architecturale, défraie encore la logique de nos urbanistes modernes. L'entreprise Giron, jadis fournisseur attitré des grandes maisons de couture en velours-satin des plus raffinés, est devenue cité des Antiquaires, ce lieu où affleure le souvenir à la surface du temps présent.

Que dire encore de l'ancienne usine Schlumberger, tout proche du campus universitaire Tréfilerie, qui, réhabilitée, restaurée, restructurée, accueillera dorénavant les étudiants de lettres , de sciences humaines ou de médecine ? Là encore, étonnante transmission de patrimoine, riche d'enseignement.

Et que dire alors du tram ?

Du plus loin qu'il s'en souvienne... le tramway n'a jamais cessé d'arpenter la grande artère du nord au sud, toujours plus au sud, toujours plus au nord.

A l'heure où toutes les autres villes l'abandonnèrent, Paris, Marseille, Lyon ou Nantes... Saint-Etienne s'y attacha. Obstinément. On la jugea passéiste. On le trouva désuet. Et puis le tramway retrouva son heure de gloire et de nouveaux adeptes. Marseille, Grenoble, Strasbourg -et bientôt Lyon- renouèrent à grands frais avec le rail.   Saint-Etienne n'avait jamais douté de sa modernité : et lorsqu'apparurent en 1989 les nouvelles rames, très cadencées, très sophistiquées, les Stéphanois surent qu'ils avaient toujours eu raison contre tout le monde ... et son train. Aujourd'hui, le tramway se permet de rouler en site propre engazonné, se jouant ou presque des embouteillages parce qu'il reste encore quelques kilomètres à aménager. Le prochain plan de circulation permettra-t-il à la Grand'Rue de s'offrir une verte pelouse sur plus de dix kilomètres ?

Le tram a de beaux jours devant lui et les Stéphanois n'oublieront pas de sitôt la sonnette aigrelette de ses avertisseurs : s'il est une image sonore caractéristique de la ville c'est bien elle. Proust aurait été Stéphanois, peut-être que sa Madeleine aurait été tout autre ?

Le mythe collinaire

Et puisque l'on parle d'arpenter la ville, il est une lecture, collinaire celle-ci, de cette ville par monts et merveilles... Le Crêt de Roc, le Crêt de Montaud, Villebœuf-le-Haut, Montmartre, Montreynaud, Monthieu, Montferré, la Montat, Montplaisir... les noms s'égrè nent qui signifient le paysage accidenté -quelque peu- de Saint-Etienne.

On connaît la ville, l'hiver, qui se décline comme une ville de montagne à plus de 500 m d'altitude, la neige en ces aubes blanches de novembre ou de décembre, les circulations difficultueuses, qui exigent le déneigement de parcours de première urgence, la neige qui paralyse le tram dans la Grand'Rue, qui encapuchonne chaque crêt, la neige qui pétrifie.

C'est dire si ces collines ont fait l'histoire et la géographie de Saint-Etienne.

A leur sommet, s'installèrent les cimetières de la Ville : au Crêt-de-Roc, à Montmartre, à Valbenoîte, à Montaud, sur les hauteurs de Côte-Chaude. Réminiscences des premières communautés d'habitants, des premiers hameaux.

Et à l'assaut de ces collines s'élancent un nombre incroyable de montées... des volées de marches escaladeuses ou des rampes d'accès à forte pente. Elles ont de jolies déno-minations : montée du Caillou-Blanc, montée des Agrèves... Charles Dickens y voisine avec Charles Baudelaire sur la colline de Villebœuf. Elles ont chacune leur style, souvent Art-Nouveau parce qu'elles datent pour la plupart des années 1900. C'est vrai qu'elles sont discrètes. Peut-être trop. La ville pourtant leur accorde une certaine sollicitude.

La montée du Crêt-de-Roc s'est refaite pas à pas, marche après marche. Nouvelle envolée alors qu'un ascenseur avait vu le jour tout à côté pour faciliter les liaisons quoti-diennes, les allées et venues avec le centre-ville. Mais l'ascenseur connaît des pannes et les marches, elles, connaissent l'usure des pas comme la rampe s'est lustrée des glissades enfantines.

Les montées Saint-Marc et Abbé-de-l'Epée ont fait une cure de jouvence pour escalader Sainte-Barbe et se sont dotées d'un belvédère.

Il faudrait les fleurir d'azalées toutes ces volées de marches pour les italianiser... elles deviendraient moins secrètes et célébreraient alors le mythe de la ville collinaire.

Itinéraires naturels

Au pied du Pilat, aux marches du Forez, à quelque 500 mètres d'altitude, Saint-Etienne respire. Et pas seulement en haut de ses collines.

La ville s'est mise au vert. Au vert de ses parcs arborés sauvegardés d'un urbanisme tentaculaire, au *green* d'un golf de quelque cent hectares, à dix minutes d'un centre-ville saupoudré de places et de jardins, un centre-ville qu'arpente un tram désormais sur rails engazonnés.

A Saint-Etienne chaque arbre est répertorié, fiché, faisant l'objet de soins constants... Une Maison de la Nature a ouvert ses portes. Le petit port de Saint-Victor-sur-Loire s'est offert une réserve naturelle en ses berges où nichent le milan royal et la chouette effraie. Et l'on est encore à Saint-Etienne sur le territoire de la ville....

Alors il est des itinéraires-nature insoupçonnés, des rencontres improvisées et l'on est loin de cette ville noire que colporte la légende.

Dans les pas de Joseph Lamberton

Il est aussi des passages non pas obligés... mais bel et bien oubliés qu'il serait de bon aloi de ressusciter. Si l'on veut vraiment découvrir l'âme de Saint-Etienne, il est des circuits non gravés, non inscrits, non fléchés que connaissent seuls les Stéphanois amoureux de leur ville. Mais ils ne leur sont pas réservés.

Il faut aller par exemple dans les pas de Joseph Lamberton, suivre son cheminement d'artiste dans la ville. Joseph Lamberton est d'abord peintre et coloriste. Avec son épouse, Adrienne Lamberton, peintre elle aussi, il répond à la commande des quatre grands panneaux décoratifs de l'église Saint-Louis. Poussez le porche... toute la vie de Saint Louis est là. Deuxième étape : l'Hôtel de Ville : M. et Mme Lamberton se sont attaqué à la très belle salle des mariages. Elle a depuis peu retrouvé de sa superbe et de sa «verdeur» ; ses naïades aux formes prospères et ses danseuses aux transparences voilées accueillent désormais non pas les mariages mais les personnalités en visite qui s'étonnent de ces déjeuners sur l'herbe offerts ainsi aux regards.

L'Hôtel de la Préfecture, tout comme l'ancien Hôtel Consulaire de la Chambre de Commerce et d'Industrie, semblent avoir boudé Joseph Lamberton pour lui préférer une facture plus parisienne. Mais montez au Cimetière du Crêt de Roc : Lamberton y a signé le monument du Souvenir Français : une femme se penche sur le souvenir de quelque 233 militaires abrités là depuis 1929. Belle sollicitude.

Parce que Joseph Lamberton est aussi sculpteur. Alors dégringolez du Crêt de Roc : la petite muse du square Violette, pour peu que votre regard s'y accroche, saura vous inspirer. Un pur moment de grâce et de bonheur. Offert. Au 34, rue du Onze-Novembre quatre géants musclés semblent ployer sous le poids des balcons. Facétie d'artiste : le sculpteur se dessine, enchaîné à côté de l'architecte, ce bourreau encagoulé. Au 21, rue Henri-Barbusse, un fronton de porte en haut-relief représente un armurier à son établi.

Attachant ce peintre, puis sculpteur. Attachant parce qu'original. Au moment où il sculpte le monument du Souvenir Français, peu soucieux de répondre aux nombreuses sollicitations jugée inopportunes, Joseph Lamberton supprime l'escalier dans son atelier du cours Fauriel et le remplace par une corde lisse.

«Statues endormies qui rêvent...»

La statuaire se décline à Saint-Etienne non pas dans un musée mais au coin d'une rue, sur une place ou au bord d'une pièce d'eau dans un parc, dans le jardin d'un musée. Certes, elle est souvent discrète mais c'est son charme. Point d'emphase. Point de grandiloquence. Est-ce une raison suffisante pour ne plus accorder à ces statues ce regard de ... re-connaissance ? Mémoire de pierre, de fonte ou de bronze de bien des sculpteurs stéphanois, grands prix de Rome, reconnus ailleurs, méconnus ici. S'égrènent alors, tous

siècles confondus, les noms d'Emile Tournayre, de Joanny Durand, d'Alfred Rochette, de Robert Champigny, de Mathurin Moreau, d'Antonin Moine, de J.H. Fabbish, un Lyonnais, de Pierre Brun, de Jean Cardot ou encore d'Etienne Montagny.

Un mot des deux statues monumentales, celles qui veillent au chevet de l'Hôtel de Ville : la Rubanerie et la Métallurgie, hommages de bronze à cette double richesse stéphanoise. Jean Guitton, le philosophe, né à Saint-Etienne la première année de ce siècle en 1901, attache toujours un regard ému à ce visage de la Rubanerie parce que c'est celui de sa grand-mère, Jeanne Epitalon, qui accepta d'être le modèle d'Etienne Montagny. Jean Guitton, l'un des rares Académiciens à avoir de son vivant prononcé le discours d'inauguration de sa rue... les Allées-Guitton qui croisent la rue Bergson, un autre philosophe dont Jean Guitton fut l'exécuteur testamentaire. Quand deux philosophes se rencontrent à Saint-Etienne. Clin d'œil.

Et puis sait-on que les grands arbres de la place Jean-Jaurès veillent sur Vénus endormie d'un certain Paul Belmondo, et que le grand Prix de Rome Paul Landowski sculpta le monument de Jacquard, commande privée, aujourd'hui place Jacquard ?

A Paris, sur les bords de la Seine, ou à New-York, il existe des musées en plein air... Saint-Etienne a préféré disséminer ses statues dans la ville pour les offrir au regard de tous... ou pour les oublier là ? C'est vrai ; peut-être faut-il ouvrir des musées pour qu'enfin se captent le regard, l'attention, la re-connaissance... et le visiteur !

L'Art dans la Ville...

Autre volée de marches, autre envolée vers l'Art Moderne et Contemporain captif, lui. Parce que Saint-Etienne s'est placée délibérément, posément, intelligemment sur les chemins de l'Art Moderne.

Première en Province -tout juste après celle de Beaubourg à Paris- la collection du musée de Saint-Etienne rassemble en un lieu conçu pour elle, épinglée à de blanches cimaises, toute l'histoire de l'Art Moderne et Contemporain ; elle est pour cela exemplaire et aucun des grands noms qui écrivirent et signèrent l'histoire de l'Art -que l'on qualifie de moderne et contemporain- ne lui échappe.

On vient en connaisseur éclairé des quatre coins du monde pour «voir» cette fameuse collection, la juger, la cautionner. Elle le mérite certes. Originale entre toutes, tout comme l'est la démarche de la Ville ou plutôt des conservateurs Maurice Allemand et Bernard Ceysson, qui ont su imaginer, commencer, rassembler cette collection et l'enrichir au fil des années pour en faire l'une des toutes premières en France et en Europe. Bientôt à l'étroit dans l'ancien musée de la place Louis-Comte, elle s'afficha, majeure, dans un musée tout en noir et blanc au nord de la ville. Le tramway allongera même ses voies ferrées jusqu'à ce musée tout neuf comme pour rendre l'art moderne plus accessible à tous : alors Claes Oldenbourg, Combas, Soulages, Dubuffet, Andy Warhol, Kandinsky, Léger, Picasso, Delaunay... devinrent ainsi plus familiers à des Stéphanois tout de même étonnés de posséder, presque à leur insu, cette substantifique mémoire d'un Art Moderne et Contemporain qui en déconcerta plus d'un.

Il y avait longtemps que Jean Dasté avait compris cette équation de l'accessible et du populaire au bon sens du terme.

La Comédie de Saint-Etienne a planté tant de tréteaux pour jouer Molière, Brecht, Marivaux, Racine, Hugo et tant d'autres... Elle a trouvé tous les chemins pour

aller au devant de la scène, à la rencontre du public que la «rencontre» ne pouvait que se faire. Elle engrange aujourd'hui le succès de tant de persévérance.

Née plus tard, la Maison de la Culture, aujourd'hui l'Esplanade, a longtemps cherché sa voie et son public avant de se tourner vers l'exigence et l'excellence : les saisons lyriques ne sont plus ce qu'elles étaient. Pour le bonheur des mélomanes avertis et des autres, de tous les autres qui viennent plébisciter aujourd'hui les créations de l'Esplanade. Le tout jeune orchestre de Saint-Etienne s'est trouvé une baguette de chef, et l'on peut tout à loisir s'offrir au pays de Jules Massenet, cet enfant -musicien- de Saint-Etienne, un air de

Manon, de Werther ou de Thaïs, parce qu'il est aussi un Festival Massenet, qui se décline en biennale, de grande maîtrise. Voici un autre rendez-vous réussi avec la Culture. Et il en est d'autres.

Depuis plus de dix ans, le Livre s'effeuille en octobre à la Fête du Livre : pluie de pages et de bonnes feuilles durant trois jours : la saison littéraire commence à Saint-Etienne et les écrivains et auteurs, tous candidats à la labellisation des prix -d'excellence ou d'honneur ?- sont comme nos hôtes de passage.

Et puis en mai, l'Art dans la ville fait ce qu'il lui plaît... itinéraires d'ateliers, chemins d'artistes, promenades dans la ville. Nouvelles rencontres. Nouveau public. Re-connaissances. Bientôt une biennale du *design* en 1998 pour accréditer l'idée que nous ne sommes pas tous des footballeurs...

De la houle verte...

Même si, parce qu'elle a déjà succombé aux fièvres vertes de Geoffroy-Guichard, à la légende -elle s'éloigne- d'un football glorieux et époustouflant, Saint-Etienne s'est inscrite au tableau des dix villes en France qui accueilleront la Coupe du Monde de Football en 1998. Le stade -nouvelle facture- connaîtra-t-il l'ébullition de naguère, cette houle verte qui lui valut ses titres de noblesse et sa réputation... internationale ?

Autres arènes pour d'autres rencontres. Pour d'autres publics.

... aux ciels d'avenir...

Passé recomposé ? Légende revisitée ? Il ne faudrait pas conjuguer cette ville au futur antérieur. Encore une fois elle mérite mieux. Et ce serait lui faire injure que de la réduire à l'image culte du ballon rond.

Parce que Saint-Etienne est plurielle. Parce que Saint-Etienne s'est inventé, imaginé, créé, construit d'autres horizons, lignes de fuite, lignes d'avenir, lignes de conduite.

Ebranlée par les coups de boutoir successifs de crises industrielles qui n'en finissaient pas de démolir des pans entiers de son économie, elle n'a jamais renoncé. Elle n'a jamais perdu.

La rue des Aciéries est devenue technopole, pépinière d'entreprises où

se sont concentrés les pôles d'excellence sur lesquels s'est reconstruit maille à maille son tissu industriel. Pôle de la Mécanique, Pôle de l'Eau, Pôle des Technologies médicales, Pôle de l'Optique et de la Vision, Pôle régional de Productique, ce sont plus de 2 000 entreprises -PME-PMI pour la plupart- structurées en réseaux performants, appuyées par une Recherche fondamentale et appliquée, et relayées par des Instituts -universitaires ou autres- de Formation et d'Enseignement Supérieurs de haut niveau.

Cette reconstruction économique, cette restructuration industrielle en pôles majeurs a permis d'envisager l'avenir avec plus de sérénité. Il est aussi des circuits ou des itinéraires très *design* de bâtiments industriels ou d'usines *high tech* -pureté des lignes et géographie des espaces- qui sont aussi évocateurs que bien des chiffres d'affaires à l'import comme à l'export.

Tangibles relais de cette confiance retrouvée, de cet esprit d'initiative et de cette volonté jamais démentie de se frotter à toute adversité.

Attachante, cette ville. Pour peu qu'on lui dédie ce regard attentif qu'elle mérite. Pour peu que l'on prenne ses chemins de traverse à l'ombre de ses mémoires plurielles, à la lumière de ses ciels d'avenir, même si quelques nuages lui offrent parfois un ciel de traîne.

Faut-il voir dans la linéarité de la Grande-Rue la reconnaissance de la seule voie de communication Nord-Sud, comme une promesse vers de nouvelles frontières ?
The «Grand'Rue» : Should this long, narrow strip pointing northward and southward be seen as a sign of hope, a promise of future expansion ?

Aux portes de Saint-Etienne comme un chemin de ronde haut perché,
les forteresses de Rochetaillée et d'Essalois
défendent leurs territoires.

Just outside Saint-Etienne, like watch-towers in the sky, the fortresses of Rochetaillée and Essalois defend their territory.

Saint-Etienne connaît ses hivers...
Snow is a familiar sight in winter...

...et ses Noëls sous la neige.
...and at Christmas in Saint-Etienne.

...et les saisons recomposent alors son paysage.
... as the seasons redecorate the landscape.

A Saint-Etienne, c'est le tram qui s'est offert
une verte pelouse pour la Coupe du Monde de Football An 98.
The tram moves along its own grassy lane in Saint-Etienne
as the World Football Cup comes to town in 1998.

Quelles traces a-t-elle laissées, la Mine, pour imprimer à la suie
la Mémoire de la Ville ?
*What mark have the mines left on the landscape after forging the identity
of the town with their soot ?*

Croit-elle en l'avenir de la vieille dame du cours Fauriel ?
Does she believe in the future of the «Old Lady» of Cours Fauriel ?

Quel avenir entrevoit-elle,
Au bout de son aile,
Cette Victoire dressée
Au cœur de la Mine foudroyée ?
What future does she behold,
At the end of her wing,
This Victory standing
At the heart of the stricken Mine ?

Passé recomposé du côté de Chateaucreux...
The past revisited at Chateaucreux...

...ou futur antérieur des miroirs contemporains
dans lesquels se reflète la ville.
... or the town's future past reflected through contemporary mirrors.

La Grand'Eglise.
Réparer des ans l'irréparable outrage...
The Grand'Eglise :
Repairing the irreparable outrage of time...

Oser la modernité... c'est perpétuer l'hier dans la ville d'aujourd'hui.
Daring to be modern... is the best way to keep yesterday alive today.

La ville attentive au chevet de ses églises.
Saint-Charles.
The town watching over its beloved churches
Saint-Charles

Sainte-Marie.

A Saint-Etienne on vénère les livres.
Lamaizière d'abord, Larsen ensuite
Leur ont offert hier l'hôtel Colcombet
Aujourd'hui la lumineuse bibliothèque de Tarentaize.
Books are honored in Saint-Etienne.
First Lamaizière, then Larsen
Offered them, yesterday, the Colcombet Hotel
And, today, the bright Tarentaise library.

Bien sûr tous les Stéphanois connaissent le Babet, place Joannès-Merlat...
Of course, all the town's inhabitants know the Babet, or pine cone, found atop Place Joannès-Merlat...

Mais ils osent sur d'autres places le ruissellement d'autres fontaines
-place d'Arménie-.
While on other squares, they've dared to create unconventional fountains
-Place d'Arménie-.

Noire et superbe, la Roche du Geai... rue de la Roche-du-Geai.
The Roche du Geai is black and majestic, rising from the
Rue de la Roche du Geai.

Peut-être devrait-on les italianiser en les fleurissant d'azalées toutes ces volées
de marches à l'assaut des sept collines de Saint-Etienne ?
*Shouldn't we decorate the walkways leading to the top of the seven hills of
Saint-Etienne with azaleas, to give them a more Italian look ?*

Il y eut la Condition des Soies,
haut lieu de l'industrie textile signé Lamaizière.
The House of Silk, designed by Lamaizière, was the temple of the textile industry.

Il est aujourd'hui une toute nouvelle Chambre de Commerce et d'Industrie...
En raccourci, la volonté de la Ville d'aller de l'avant.
There is a brand new Chamber Of Commerce and Industry today...
A sure sign of the town's will to move forward.

Saint-Etienne s'est écrit Armeville en lettres révolutionnaires :
quel avenir réservera-t-on demain à la célèbre Manufacture d'Armes de
Saint-Etienne ? Lui permettra-t-on de s'ouvrir à d'autres horizons industriels ?
Saint-Etienne was known as Armeville during revolutionary times.
What will become of the well-known Manufacture d'Armes de Saint-Etienne ?
Will it be allowed to look to new industrial horizons for its survival ?

Un autre parcours... de 18 trous en plein cœur de la ville.
A different landscape... complete with 18 holes right inside the town.

Autres arènes... vives qui connurent la houle verte d'un football glorieux et époustouflant.
There are other arenas... such as the one which witnessed the glory of Saint-Etienne's amazing green wave.

Le stade Geoffroy Guichard sera-t-il à la hauteur de sa
légende devenue mythe ?
Will the Geoffroy Guichard stadium live up to its legendary past ?

Nymphes de pierre
A la source tarie.

Nymphs of stone
At the dried-up spring.

Est-ce par inadvertance qu'on les a oubliées là,
au revers de l'Hôtel de Ville ?
Were they left by mistake on the back side of the Town Hall ?

Le Trésor Public en son Hôtel très particulier.
The Treasury Building in its own special mansion.

Qui a dit que Saint-Etienne n'était pas une ville d'architecture ?
Who said that Saint-Etienne was not a town of architecture ?

Il est des itinéraires Lamaizière, de la Bourse du Travail...
There are Lamaizière itineraries, leading from the Trade Union Center...

...à la Loire Républicaine.
... to the headquarters of the Loire Républicaine.

De la place Badouillère - ou Anatole-France - à l'avenue de la Libération (n° 2)...
From Place Badouillère -or Anatole-France- to Avenue de la Libération (n°2)...

... il n'est qu'à lever les yeux.
... one has only to lift one's eyes.

Une architecture solide, un style qui s'ennoblit, qui permet le bel appareillage,
le bel ornement, qui flatte le goût du Beau même si l'on vise l'Utile.
*A solid architecture, works of beauty and grace which stand the test of time and
please the senses while serving a useful purpose.*

Palais Mimard place Badouillère ou Anatole-France.
Palais Mimard at Place Badouillère or Place Anatole-France.

Avenue de la Libération : les signatures se reconnaissent, s'apprécient, rivalisent : Lamaizière côté impair, P. Noulin-Lespès côté pair, qui signe le bel immeuble de la Martre de France, entre autres.
Avenue de la Libération : Prestigious signatures on parade : on one side, Lamaizière, and on the other, P. Noulin-Lespès, where we find works such as his beautiful Marten of France.

Square Massenet, à la manière de Lamaizière, ou avenue de la Libération,
sous la signature de P. Noulin-Lespès : savoir accrocher du regard
un encorbellement, un bow-window, une rotonde d'angle finement ouvragée,
des balcons en arabesques...
*Whether it's a work of Lamaizière on Square Massenet or one of P. Noulin-Lespès
on Avenue de la Libération, one has only to look upward, to see a corbel, a bay-
window, exquisitely-sculpted scrolls, finely-finished rotunda corners, balconies
featuring arabesques and rose-windows made of forged iron..*

A Saint-Etienne, il est des chemins de traverse
où tous ces détails architecturaux s'offrent...
mais sait-on encore leur accorder l'attention voulue ?
In Saint-Etienne, these architectural treasures are on display off the beaten path....
but do we give them the attention they deserve ?

De la rue Charles-de-Gaulle à la rue Michelet : savoir lever les yeux...

From Rue Charles-de-Gaulle to Rue Michelet : one has only to lift one's eyes...

L'étreinte des glycines mauves à l'escalier monumental du musée d'Art
et d'Industrie place Louis-Comte.
Oublieuse mémoire... Certes non : ce musée, c'est la mémoire profonde
du patrimoine stéphanois.
De l'arme au ruban, du velours au cycle, de la Manufacture d'Armes
à Manufrance : tout repose là.

*The embrace of the mauve wisteria to the Museum of Art and Industry's
monumental staircase, square Louis-Comte.
Forgetful memory... Most certainly not : this museum is the thorough memory
of Saint-Etienne's patrimony.
From weapon to ribbon, from velvet to cycle, from the Manufacture d'armes
to Manufrance : all lies there.*

Claude Fauriel. En connut-il des générations de grands fronts studieux !
Claude Fauriel, which has witnessed generations of young minds hard at work !

Un campus universitaire au cœur de la ville et sur la ligne de tram...
Il s'offre à la modernité de l'architecture signée Kroll, qui dessina aussi
l'Université de Louvain dans le Brabant.
A university campus in the heart of town and on the tram line...
recently modernized by the architect Kroll who also
designed the University of Louvain in Brabant.

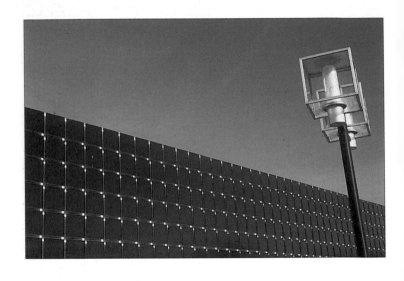

Modernité quand tu nous tiens :
Ecriture noire pour de blanches cimaises au musée d'Art Moderne
et Contemporain.
Modern and appealing :
Black on white at the Museum of Modern
and Contemporary Art.

Retour en centre-ville rue Pierre-Bérard, avec vue sur la très belle façade
30, rue Saint-Jean, attribuée à Lamaizière.
Returning to the town center, on Rue Pierre-Bérard we have a beautiful view of
the façade along Rue Saint-Jean, attributed to Lamaizière.

Une tour aux aguets dans le jardin Louis-Comte, au 2, rue Claude-Delaroa.
A watch-tower in the Louis-Comte garden at 2, Rue Claude-Delaroa.

Il faut savoir franchir un porche pour goûter à la sérénité de ces cours intérieures blanches et fleuries, place Jean-Plotton.

The visitor who ventures into a courtyard on Place Jean-Plotton finds a charming, peaceful setting, highlighted with flowers.

Notre-Dame à Saint-Etienne : aucun parvis, aucune perspective.
Dommage.

The Church of Notre-Dame : deprived of a front court, without any perspective. Truly regrettable.

Alors lorsque l'on peut savourer quelques voussures de la Grand'Eglise...
surtout s'y attarder et attendre la bonne lumière.

The arch-stones of the Grand'Eglise are a delight to behold, especially if one waits for the right lighting.

Histoire de clochers : Sainte-Marie, Valbenoîte.
Et cette flèche, maçonnique -à ce que l'on dit- défie-t-elle la puissance divine
de l'une des plus anciennes églises de Saint-Etienne placée sur le chemin de
Saint-Jacques de Compostelle ?
To each neighbourhood, its own bell-tower : Sainte-Marie, Valbenoite.
It is said that this «masonic arrow» is defying the divine power
of one of Saint-Etienne's oldest churches, located on the trail
of Saint-James of Compostelle.

Il est aussi des muses musiciennes à Saint-Etienne :
square Massenet.
There are also music-loving muses in Saint-Etienne : Square Massenet.

Sur les pas de Joseph Lamberton : un pur moment de grâce et de bonheur.
What a delight to stroll and contemplate the works of Joseph Lamberton.

A quel flambeau se rallie-t-elle
Cette Egyptienne et le sphinx à ses pieds ?
A l'angle des rues Emile-Littré et Claude-Delaroa.
What could this Egyptian be holding her torch up to,
With the sphinx at her feet ?
On the corner of Rue Emile-Littré and Claude-Delaroa.

Elle mérita la Une
Fileuse ou dévideuse
Elle défie le temps qui passe
et trouve sa place
Au chevet du lycée Claude-Fauriel.

She deserved top honours,
Spinning or unwinding,
Defying the passage of time,
She found her place
At Lycée Claude-Fauriel's side.

De bronze ou d'or
Quelle sollicitude envers les martyrs de la guerre…
Square Jovin-Bouchard.

Carved out of bronze or gold
What solicitude is shown toward the martyrs of war...
Square Jovin-Bouchard.

Rieur et facétieux... à la manière de Robert Champigny,
square Jovin-Bouchard
Playfully mischievous... interpreted by Robert Champigny.

Joufflus et callipyges... à la manière de Mathurin Moreau,
place du Peuple
Chubby cheeks and bottoms... interpreted by Mathurin Moreau.

Détails…

A closer look...

Au cimetière du Crêt-de-Roc, trône un superbe Moïse. Le sait-on ?
Do people know about this superb Moïse, found at the Crêt de Roc cemetery ?

L'éternel féminin à la manière d'Hervé Audouard, 1993.
Forever feminine, interpreted by Hervé Audouard, 1993.

Un armurier à son établi au fronton du 21, rue Henri-Barbusse.
An arms-maker at his workbench, found on a fronton at 21, Rue Henri-Barbusse.

Douze siècles de soldats morts pour la France des batailles de Poitiers à Bouvines, de Valmy à la Marne... Sous le ciseau de Joanny Durand, Jeanne d'Arc sourit.
Twelve centuries of soldiers died while defending France in battles from Poitiers to Bouvines, from Valmy to Marne... Sculptured by Joanny Durand : a smiling Joan of Arc.

Dans une niche sur la façade de la Grand'Eglise et à l'angle de la rue des Martyrs-de-Vingré, saint Jacques veille encore…
In a nook on the façade of the Grand'Eglise and on the corner of Rue Martyrs de Vingré, Saint James keeps watch…

Mais où sont les pèlerins pour Compostelle ?
But where are the Compostelle-bound pilgrims ?

Les signatures, les dates se sculptent dans la pierre… désormais immuables.

Signatures and dates carved into stone… forever preserved.

Au 34, rue du 11-Novembre quatre géants musclés semblent ployer
sous le poids des balcons.
*At 34, Rue du 11 November, four giants seem to be bending
under the weight of the balconies.*

Fenêtre ouvragée à l'Hôtel des Ingénieurs, rue du Grand-Moulin.
Sculptured windows at the Hotel des Ingénieurs on Rue du Grand Moulin.

Fenêtre travaillée à la manière de Lamaizière, place Anatole-France.
Lamaizière-style window on Place Anatole-France.

Cherchez le lion :
il est partout,
emblême de la
puissance et de
la gloire...
*If you look for
lions, you will
find one
everywhere.
A symbol of
power and
glory...*

Dommage qu'ils ne soient pas à la portée du regard du passant, ces frontons de la Préfecture, rue Charles-de-Gaulle.

It's a pity that these frontons on the Prefecture cannot be seen by passers-by on Place Jean-Jaurès.

Une jolie allégorie de la République française, toujours au fronton de la Préfecture, rue Charles-de-Gaulle.
This fronton on the Prefecture features a charming allegory of the French Republic.

Et les cornes d'abondance... pour la Société des Anciens Elèves de l'Ecole des Mines : tout un symbole.
And these Horns of Plenty... created for the Association of Former Students of the School of Mining : a fitting symbol.

L'on savait alors soigner les détails. L'on sait toujours soigner les détails...
Artists were attentive to details back then... Artists are attentive to details today...

... ou vénérer Jeanne d'Arc en médaillon, place Anatole-France
... fourbir les armes de la Ville au fronton des Halles...
...et s'offrir un masque grimaçant en guise de dieu lare et tutélaire :
rue César-Bertholon.

*Joan of Arc is honoured on this bas-relief on Place Anatole-France.
The town's arms are polished and ready, on a fronton at the
covered marketplace.
A paternalistic, local god is represented by a grimacing mask on
Rue César-Bertholon.*

115

Il est tout un
bestiaire
de pierre,
de bronze ou
d'airain
qu'il faut
redécouvrir
parce qu'il vous
est offert
en plein air...

*There are
animals of all
kinds
made of stone,
bronze and
brass
which must be
rediscovered
since they are
displayed
outdoors...*

...à l'angle des rues Claude-Delaroa
et Emile-Littré,
square Jovin-Bouchard
et sur le parvis de
l'église Sainte-Marie.

*On the corner of Rue Claude-Delaroa
and Rue Emile-Littré
Square Jovin-Bouchard
and on the front court of the Church
of Sainte-Marie.*

S'afficher...
cela s'enseigne...

*Going on display...
is an art in itself...*

Et si jamais
vous vouliez savoir
le temps qu'il fait
ou qu'il fera…

*In case you would like
to know what the weather
is or will be like…*

Le chat...
et les pigeons du
square Violette.

The cat...
and the pigeons on
Square Violette.

Ne vous fiez pas trop à l'heure dite de la Bourse du Travail...
L'horloge est paresseuse ou capricieuse.
Don't trust the time shown on the Trade Union Center clock...
It is lazy or just capricious.

Vous avez dit facile à vivre ?

Definitely a pleasant place to live.

Aujourd'hui la place Jean-Jaurès et la place de l'Hôtel-de-Ville
sont-elles encore ces forums de part et d'autre du nouvel Hôtel de Ville voulus
par les architectes-voyers Pierre-Antoine et Jean-Michel Dal Gabio ?
*Place Jean-Jaurès and Place de l'Hôtel-de-Ville : are public forums still held there,
as the town's architects and road-commissioners, Pierre and Jean-Michel Dal
Gabio, intended ?*

En tout cas c'est autour de ces places que viendront s'installer
ceux qui vont "faire" la ville.
La concevoir. La bâtir. L'accompagner dans sa croissance.

In any case, those who will «make» the city,
conceive it, built it, accompany it trough its growth,
will settle around these squares.

A l'heure où les ronds-points se sont multipliés...
c'est le premier, le plus ancien, le plus vaste, le plus paysagé aussi...
*Round-abouts are everywhere... This was the first, the biggest, and the most
beautifully-landscaped...*

...aux portes du Parc de l'Europe, il le fallait.
... at the entrance of the Parc de l'Europe, it had to be special.

Le cours Fauriel, résidentiel s'il en est, soigne ses contre-allées
à l'ombre d'une double rangée d'arbres qui sont l'objet de soins constants.
The very residential Cours Fauriel is flanked by shady sidestreets, where rows of
trees are given special care.

Souvenirs... souvenirs d'une vaste pelouse place Jean-Jaurès.
Memories... memories of a vast lawn on Place Jean-Jaurès.

Il est des jardins accueillants, des places fleuries qui aèrent l'espace urbain
tout au long de la Grand-Rue,
ici place Louis-Comte et place Anatole-France.

There are inviting flower gardens all along the Grand'Rue, making urban living more pleasant ; here we see Place Louis-Comte and Place Anatole-France.

La ville dont le prince est un enfant : une volonté qui s'affirme à Saint-Etienne.

A town where the child is king, a true priority in Saint-Etienne.

Il est tous les jours sur les places, le long des cours, des marchés de toutes les couleurs, hiver comme été. C'est peut-être à ce trait-là que l'on reconnaît et que l'on apprécie les villes de province.
There are colourful outdoor markets all year round on the city squares and along the boulevards. This is perhaps what gives provincial towns their special character.

Marchés paysans, marchés biologiques, marchés aux fleurs,
aux herbes, aux agrumes...
*Farmers' markets, markets for bio-grown products, flower markets,
herbal markets, fruit markets...*

... à la brocante dans le quartier de Villebœuf.

... the antique market in the Villebœuf neighbourhood.

L'Art descend dans la rue pour investir la ville :
c'est l'Art dans la Ville et l'été qui commence...
Art takes over the streets and fills the town :
it's called Art in the town and signals the arrival of summer.

... ou l'Automne avec la Fête du Livre :
la ville bruisse alors des milliers de pages que l'on tourne.
Autumn begins with the Book Fair :
the town comes alive with the rustling of thousands of pages being turned.

La Fête de la Musique au pays de Massenet.
The Music Festival in the land of Massenet.

Il est d'autres saisons théâtrales à la Comédie, lyriques à l'Esplanade et le
Festival Massenet… s'exporte très loin en terre pharaonique.
The season is theatrical at the Comédie and lyrical at the Esplanade,
while the Massenet Festival is quite at home in the land of the pharaons.

Saint-Etienne n'a rien à envier à d'autres capitales culturelles.
Majeure, elle le devint et entend bien le rester.
Saint-Etienne has its place among cultural capitals, and intends to stay there.

Forgetful memory...wrote the poet.

Isn't it possible that the poet was going a bit too far ?

Isn't it possible that Saint-Etienne has had to pay for the fact that its History cannot be traced back to ancient times ? That Roman roads never crossed it ? That its destiny only took shape with the advent of the industrial era ?

This much we do know : the image of a soot-filled sky over Saint-Etienne has been «blackened» into everyone's minds. How could it be otherwise when a generation of schoolchildren were taught to read with the help of Le Tour de France par deux enfants, depicting Saint-Etienne as a working-class mining town, dotted with more than two hundred mine shafts and factory smokestacks ?

Childhood images hang stubbornly on, indifferent to the passage of time. While reality moves on, these images remain treacherously dated.

As a matter of fact , Saint-Etienne no longer deserves this image. There are so many other images to choose from : Saint-Etienne, the green, the white, the pastel. The striking town struck by its own turbulent past. A resolutely modern town, forced to rebuild entire sections of its economy. The town of rebirth which has not hesitated to call upon the best names in architecture today, Bofill, Kroll, Wilmotte, having engaged other great architects in the past : Dal Gabio, Lamaiziere, or Bossu with his stairless houses. Saint-Etienne the imaginative, the entrepreneurial, the dynamic, the clever, the inventive, overwhelmed at times, but so determined...

Saint-Etienne is a mountain town perched on the edge of the Massif Central at an altitude of 550 meters. It owes its location, as well as its industrial expansion, its demographics, and its urban layout   not to mention the image it continues to carry today   to the existence of coal not far below its surface. Coal was the city's gold for much of its history, and though Saint-Etienne is proud of this part of its past, it has retired its mines to the museum and moved on. Even the «crassiers», the local term for tall heaps of coal refuse, are being reconverted : these small dark hills, from which one can still see smoke escaping on misty days, are gradually being covered with vegetation.

Saint-Etienne sits at the base of the Pilat mountain chain, which offers the city the charm of a national park at its doorstep, but at the same time, cuts Saint-Etienne off from its neighbours to the south. It is confined to the west by the Monts du Forez and the Velay plateaus, and to the east by the Monts du Lyonnais. Such a location has complicated Saint-Etienne's existence and will continue to do so, making it difficult to build business links, develop transport, improve communications, and expand.

Saint-Etienne is far from being a crossroads and never was one. In Roman times, the development of Gaul was carefully, methodically laid out in plans that systematically ignored the Furan valley. And it's no wonder : from Rome there has never been so much as a path traced to Saint-Etienne.

The city continues to suffer from its geographical isolation, as well as from the congestion of its roads, motorways and railway. As it enters the twenty-first century, it carries the weight of the past, a sort of handicap inherited from several centuries of immobility only slightly mitigated by long-overdue plans to improve communications with Lyons, essential to its survival, and with Clermont-Ferrand.

Contemplating the town's main artery, a long, narrow strip which the inhabitants still call the Grand'Rue, and along which the life of the town has developed, an observer is struck by the promises of future expansion that such a north-south route seems to hold. Alas, such promises are mere illusions, thwarted by Saint-Etienne's natural boundaries.

The town's story can be told in several ways, each plausible, each simple to grasp.

Its urban planning reads like a textbook case, following the pattern of many checkerboard towns which begin as one-street villages and spread out block by block under the pressure of a population explosion. The backbone of this grid, with its collection of parks and squares, remains to this day the central north-south artery criss-crossed from east to west by the rue de la République and by the rue Michel-Rondet.

One can see the imprint of the Dal Gabios on the town

At the end of the eighteenth century and the beginnig of the nineteenth century, Saint-Etienne's town center underwent a complete transformation: Its new town hall, court house, school building, and the building which served as both a financial center and the main offices of the local silk industry were all designed by the architects and road commissioners, Pierre-Antoine and Jean-Michel Dal Gabio. It was an amazing metamorphosis of an entire town which had succeeded in doing away with its obsolete structures in anticipation of a powerful economic and industrial boom.

Some observers have criticized the Dal Gabios' monumental style of architecture, judging it unworthy and ambitious because it is neo-classical, but on what criteria do they base their judgement ?

From a different perspective, one could say that the town center designed by the Dal Gabios brought to Saint-Etienne a few rays of Italian sunshine. Though it has lost the dome which used to give it a certain Latin quality, the statues of Metallurgy and Ribbon-weaving still keep their watch over the city...»Statues endormies qui rêvent / Statues blêmies. C'est le destin de l'homme» (Sleeping statues lost in their dreams / Pale statues. This is man's destiny), wrote Apollinaire.

Southward and northward spacious public squares were created, known today as place Jean-Jaurès, place de l'Hôtel-de-Ville, place Badouillère or Anatole-France around which the city began to take shape and to become what it is today.

The Dal Gabio itinerary leads straight to the Crêt de Roc cemetery, one of the city's four biggest cemeteries, perched on the hill of the same name : Pierre-Antoine drew up the first plan, giving the site the shape of a cross, in 1805. Jean-Michel , his nephew, carried on his work, building a small chapel which was ruined in 1910. Numerous local celebrities are buried in this small Stephanois version of Père Lachaize. A lovely statuary once flourished there, a poignant testimony to the feeling of immortality which reigned over the place.

There is yet another way to explain Saint-Etienne : through its social history and demographical make-up. A power struggle between the bourgeoisie, barons of the flourishing ribbon trade, and the increasingly powerful manufacturers, left its imprint on the layout of the town, as the bourgeoisie successfully managed to keep the newcomers out of the town center. The Manufacture d'Armes de Saint-Etienne, Manufacture d'armes et de Cycles, better known as Manufrance, and the velvet maker, Giron, took up residence in new areas, helping to change the shape of the town.

The town's story can be told from a sociological point of view...

Historical, as well : the socio-economic development of Saint-Etienne played a direct role in shaping the architecture typical of the new town center. Buildings found around place Marengo and place de l'Hôtel-de-Ville, for example, reflect the power of the new factory-owners, with their central courtyards, ground floors half a flight below the surface, and three or four storeys at the top of which garrets could be found. These buildings, which were residences and warehouses at the time, served as showcases for the textile industry, while housing under the same roof the company's administrative, technical, commercial and artistic services. Such a show of force gave the factory-owners notoriety and a higher social status. Today these buildings are a reminder of a bygone era, but for those observers who take the time to contemplate the sumptuous decoration of the façades, with their grimacing masks and caryatids dating back to the end of the nineteenth century, that era somehow lingers on.

One can find these buildings in the part of the town center where the textile lords were so much at home: In particular, along the Grand'Rue, rue Michelet, rue de la Résistance, rue Michel-Rondet, rue Georges-Teissier and Rue de la République. There is no mistaking them among the rest.

It is obvious that the first big industry in Saint-Etienne, textiles, left its mark on the town's urban layout, creating boundaries between sections of the city : the ribbon factory-owners had their territory, as did the makers of lace and trimmings, according to whether or not they owned their workshop or factory, and according to the technique they used in their work : jacquard or frame, velvet or another variety.

The workshop is a workplace, of course, but it's also a place for the family to live. The lodgings look out upon the street, while the shop floor, with its high windows, face the courtyard ; the heavy looms take up a lot of space.

The memory of this activity dating back to the last century has been preserved in the Musée d'Art et d'Industrie, recently redone by the architect Wilmotte, at place Louis-Comte. After contemplating the fine work and technical know-how it required, one can walk the streets where the former workshops are found : the itinerary provided by the Office of Tourism leads one through a maze of small streets which gradually leave the town center and end up on the hilly part of Saint-Etienne.

The story of Saint-Etienne unfolds before the eyes of those who seek to understand it and accept it as it is.

In the steps of the arms-makers

From very early on, Saint-Etienne was known for the quality of the side-arms it produced, thanks to the purity of the water of the Furan. Over the centuries, it gradually earned the title of arms capital.

The town was known as Armeville during the Revolution, as it had become quite an arsenal. It witnessed the rise of companies such as the Manufacture d'Armes, renamed MAS , and GIAT, which is going through a period of slow decline today.

Although the arms-makers not all of them fortunately, have laid down their arms, they have left their mark on the urban landscape of Saint-Etienne. Their territory runs from Saint-Roch to Valbenoite, including place Chavanelle, rue Jean-Claude-Tissot, rue de l'Heurton, and especially rue des Armuriers. This was the neighbourood of the arms-testing center before it was relocated in 1988, a regrettable move, the effects of which are still being felt today.

In buildings around Saint-Roch, one can find numerous «traboules» from the Latin «trans ambulare», passages that run from workshop to workshop, connecting the different arms-makers and their craftsmen, thereby creating a sort of professional almost fraternal-cohesion.
Although it is premature to use the past tense, the traditions laid down by early arms-makers will indeed soon be a thing of the past, leaving behind only the stone and brick dwellings characteristic of Saint-Roch to remind us of a once-thriving way of life. A way of life whose disappearance has been far from painless.

In the steps of the coal-miners

Since the mines played such a strong role in Saint-Etienne's past, helping to forge its identity, one might wonder what indelible mark they have left on the town's landscape. As a matter of fact, the soot which settled on all of the monuments and buildings for an entire century has been wiped off, washed off: It took quite a while, but what is ten years when you're looking at a century ?

The façades are white or pastel ; some proudly display their Art Deco frontons : others, their caryatids : still others, their corbels. It's as if a coat of fresh paint had been splashed across the town, sparing no neighborhood, and invading the squares and streets right down to the tiniest lanes.

The town is in perfect harmony with its new colours. The black town has disappeared, in spite of persistent rumours to the contrary. Only the silhouette of the mine shaft Puits Couriot stands tall to remind the younger generation that there were really mines below the surface of the town, with a labyrinth of galeries from which only Ariane herself would be able to escape.

The Puits Couriot has indeed become a respectable museum, enhanced by the voices of those who still look nostalgically back to their days spent in the earth's belly. The Salle des Pendus continues to impress visitors, and the noisy, rapid, windy «ride to the bottom», complete with safety helmets, continues to inspire awe. A real experience in a museum that aims to be the best of its kind.

The heaps of coal refuse have become green hills, shady but inaccessible, like so many cenotaphs dedicated to the defunct mines. The miner's villages Soleil, Chavassieux, Côte Chaude, Tardy have not been turned into museums up to now : nevertheless, they stand as vivid reminders of an era gone by.

The architecture of the Cité Chavassieux at Côte Chaude has drawn interest, and plans to renovate the site are being studied. In 1911, the Compagnie des Mines de la Loire entrusted the architectural design of the miners' lodgings to Léon Lamaizière, putting the workers on an equal footing with the bourgeois elite of the town center Emile Blachon, Petrus Perrachon, the director of the Casino, or Henri Staron, textile lord who had also chosen Léon Lamaizière as their private architect.

Once upon a time, there were the Lamaizières

Another way to get to know Saint-Etienne is through the impact that the Lamaizières, Léon the father, and Marcel the son, had on the town. Indeed, they played a direct role in its expansion, no only geographically, as their work pushed the town's limits back, but economically , industrially, commercially, and administratively, as well. From the 1890's to roughly 1925, Saint-Etienne grew bigger, more beautiful, and more harmonious thanks to the Lamaizières' work. The list of their accomplishments is impressive : sixty houses and manors which include the Palais Mimard at 5, place Badouillère (or Anatole-France), the Colcombet hotel on rue Lieutenant-Morin, the David building at 1, allée du Rond-Point ; eighteen rental buildings ; forty industrial sites including Nouvelles Galeries on rue Gambetta and the Magasin Colcombet at 8, place de l'Hôtel de Ville ; as well as a dozen public buildings such as the Lycée de jeunes filles on rue Gambetta, the Bellevue and La Charité hospitals, the new Trade Union Center, the Loire Républicaine building at 14, place Jean-Jaurès, the new Condition des Soies building at 14, rue Elisée-Reclus, and the Town Hall of Terrenoire.

The Lamaizières seemed to be everywhere, and cretainly were in great demand. They were, after all, the town's architects, and as such, were actively involved in the urban planning of Saint-

Etienne. In spite of their eclectic talents, they had a distinctive style : their structures were solid, with a hint of gothic inspiration, although the gothic style was never widely used in Saint-Etienne. Many of their buildings' façades were inspired by Art Deco ; some even featured the Modern Style. Instead of using the local coal-tainted sandstone that crumbled and turned black in time, the Lamaizières used new materials which allowed them to achieve excellent results, works of beauty and grace, which also served a useful purpose.

There are Lamaizière itineraries, frequented by those who recognize the Lamaizières as champions of urban development in Saint-Etienne, if not its founding fathers. To appreciate their contribution, one has only to look upward, to see a corbel, a bay-window, exquisitely-sculpted scrolls, finely-finished rotunda corners, balconies featuring arabesques and rose-windows made of forged iron.

Indeed, the Lamaizière signature has been recognized, sought after, and respected over the years.

Forgetful memory... ?

What if the people of Saint-Etienne decided to prove the poet wrong ? Their attachment to their own particular heritage   which, granted, doesn't go back to the beginning of time   could save it from falling into oblivion. They have the power, in fact, to repair the irreparable outrage and breathe life back into their history by perpetuating its memory and its importance to the town. Without denying any part of it, they would appreciate the way Saint-Etienne of yesterday has become the town we know today, as well as the way it will shape the town of tomorrow. This is only possible, however, if the town's history is given a chance to be heard and passed on.

There is yet another way to approach this charming town...

Saint-Etienne is pleased to be linked to Paris in three hours by TGV or very fast train, but it is equally proud of Chateaucreux, its renovated train station of red brick and glass dating back to 1885, the date of the creation of the Saint-Etienne-Lyons line. There are once-proud train stations not far away which find themselves reconverted into an auction house   the case in Les Brotteaux in Lyons, or into a museum   the case of the Orsay station along the banks of the Seine river. In Saint-Etienne, one wouldn't think of getting rid of the symbol of the extraordinary expansion of the railway whose steel parts came straight from the forges and steelworks of Saint-Etienne.

While the historical marketplaces of other cities, Paris again, for example, are dug up, leaving only a big hole for some time as a reminder of their existence, the central marketplace in Saint-Etienne has been restored to its original state, and embellished, revealing an impressive 1870 metallic structure designed by Mazerat as was the musical kiosk on place Jean-Jaurès. As a result, this historical landmark continues to play a commercial role in Saint-Etienne today.

Manufrance was the crown jewel of industry in Saint-Etienne for a long time. It pioneered mail-order sales, developing a catalogue that inspired generetions of hunters, fishermen, bird-watching cyclists and budding poets ; the catalogue was, in fact, a source of inspiration for anyone interested in literature.

Manufrance is gone. This huge vessel anchored on cours Fauriel, the most beautiful and the most modern factory of its time, has been transformed into a campus, the home of the Ecole Supérieur de Commerce, or Saint-Etienne Business School, the annex of the prestigious Ecole des Mines, or School of Engineering, and soon, the Institut Régional Universitaire Polytechnique, as well as the Conference Center, the new site of the Chamber of Commerce, the regional headquarters of the savings bank, la Caisse d'Epargne, and the planetarium as if Manufrance had decided to look to the stars to decipher its future. It has indeed been an impressive rebirth of a site which never stopped nurturing great ambitions.

Perhaps because it was built during an era blessed by the gods and goddesses of Economy that we call Metallurgy, Ironworks, Ribbon-Making, Silk-Making, Arms-Making, and Steelworks, and because its architecture is rather sober, this industrial heritage continues to attract the atten-tion of urban-planners. The former factory of the Giron company, official suppliers of fine velvet and satin to leading fashion houses, has become the Cité des Antiquaires, an antique market, where the past is at home in the present.

And the tramway ?

As far back as we can remember, the tramway has moved up and down the main artery, pushing ever more southward and northward. While other cities   Paris, Marseilles, Lyons and Nantes were abandoning their tram, considering it old-fashioned, Saint-Etienne obstinately hung on to its own. In more recent times, the tramway has regained its place of honor, even gaining new believers. Marseilles, Grenoble, Strasbourg, and soon Lyons have laid down new tracks at great costs. Saint-Etienne's faith in this means of transport was rewarded in 1989, when modern, more efficient trams were put into service.

Today, the tramway makes most of the trip on its own grass-lined lane, accessible to all but free from traffic jams and slowdowns. We can hope that the next urban project will include more than ten kilometers of grass-lined tracks. The tramway has a bright future ahead, and the people of Saint-Etienne can expect to hear the shrill ringing of the tram bell for some time to come : indeed, if any one sound characterises the town, it's this one. Had Proust been from Saint-Etienne, his famous madeleine would surely have taken another form.

The legend of the hills

A quick look at the names of places in Saint-Etienne le Crêt de Roc, le Crêt de Montaud, Villebœuf-le-Haut, Montmartre, Montreynaud, Monthieu, Montferré, la Montat, Montplaisir gives one a good idea of the hilliness of this town. The population is familiar with wintry condi-tions characteristic of mountain towns : the snow can arrive as early as November or December, making driving hazardous, paralyzing the tram, blanketing the hilltops and petrifying the land.

These hills are indeed part and parcel of Saint-Etienne's history and geography. At the top of them lie the town's cemeteries, at Crêt de Roc, Montmartre, Valbenoîte, Montaud, and the heights of Côte Chaude. Vestiges of the first communities, the first hamlets...

There are numerous walkways to the top of these hills, steep stairways and ramps with pretty names such as Montée du Caillou Blanc, or White Stone Way, and Montée des Agrèves, or the Passage of the Agrèves. On the heights of Villebœuf, neighbourhoods straight out of Charles Dickens exist alongside others recalling Charles Baudelaire. Each hill has its own style, Art Nouveau in many cases, as they were settled in the early 1900's. They remain rather discreet, perhaps too much so.

The walkway up to the Crêt de Roc has been completely redone, and an outdoor lift was added some time ago, but breakdowns are not uncommon. Meanwhile, the stairs are becoming worn from shoppers' daily trips and the ramps have been made shiny by the sliding of merry children.

The Saint-Marc and Abbé-de-l'Epée walkways up to Sainte-Barbe have been given a facelift and now feature belvederes at the top.

Each of these walkways should be lined with azaleas to give them an Italian quality ; they would then be more noticeable and help create the myth of the town of many hills.

Nature trails

Located at the foot of the Pilat Mountain on one side and at the doorstep of the Forez on the other, at five hundred meters, Saint-Etienne has plenty of fresh air. The town has truly become green : green as in tree-filled parks saved from a voracious urban policy, green as in a 100-hectare golf course ten minutes away from the town center, itself dotted with squares and gardens, and where the tram track is set in a green environment.

Each tree in Saint-Etienne is recorded, classified, and given constant care. A Maison de la Nature, or House of Nature has been opened. The lake at the little port of Saint-Victor-sur-Loire has become a natural reserve, where the kite and the screech-owl nest. And all of this is part of the town of Saint-Etienne.

In the steps of Joseph Lamberton

Sometimes points of interest lose their place on tourist maps without deserving such a fate. Those who really want to get to know Saint-Etienne should take those lesser-traveled paths. One of them leads to places where the paintings of Joseph Lamberton are exposed. At the church of Saint-Louis, the four decorative panels showing the life of Saint-Louis are worth a look ; they were executed by the painter and his wife, Adrienne. Next stop : the Town Hall, where the Lambertons graced the Salle des Mariages with their tableau depicting voluptuous nymphs and graceful dancers. Recently restored to its original freshness and beauty, it is now seen and appreciated by visiting dignitaries.

Joseph Lamberton was perhaps not first on everyone's list ; the Hôtel de la Préfecture and the Hôtel used by the Chamber of Commerce commissioned works by Parisian artists, for example. Climb up to the Crêt de Roc, however, and you'll see that he possessed multiple talents : the wonderful sculpture of the woman paying her respects to 233 victims of war, known as the Souvenir Français, was signed by Joseph Lamberton.

For another example of his talents as a sculptor, go to Square Violette where a little muse delights and inspires passers-by. At 34, rue du Onze-Novembre, four muscular giants seem to be bending under the weight of the balconies in a work which playfully depicts the sculptor chained to his heartless executioner, the architect. There is a fronton done in relief which represents an arms-maker working at his work-bench at 21, rue Henri-Barbusse.

Lamberton was no ordinary painter and sculptor. At a time when he was very busy with his Souvenir Français monument and was receiving more callers than he cared to have, he decided to get rid of the staircase in his workshop and replace it with a rope.

«Sleeping statues lost in their dreams ...»

Statuaries are found all around Saint-Etienne : not in a museum, but in the open air : on squares, in parks, in a museum garden. They have a discreet, unpretentious charm about them, but should this be a reason to neglect them ? Embedded in the stone, cast iron, and bronze figures, is the memory of centuries of outstanding prize-winning contributions by artists who are often better known away than at home : Emile Tournayre, Joanny Durand, Alfred Rochette, Robert Champigny, Mathurin Moreau, Antonin Moine, J. H. Fabbish, from Lyons, Pierre Brun, Jean Cardot, and Etienne Montagny.

The two huge statues of bronze which keep watch over the Town Hall, Metallurgy and Ribbon-Weaving, were particularly dear to the philosopher and Academician, Jean Guitton, who was born in Saint-Etienne in 1901. It was his mother, Jeanne Epitalon, who served as the model for the statues, created by Etienne Montagny. Jean Guitton is one of the rare members of the Académie Française to have delivered the inaugural speech dedicating a street named after himself. The street which it crosses, Bergson, was named after the philosopher for whom Guitton executed the final testament.

Not many people know that beneath the tall trees of Place Jean-Jaurès, stand the statue of Venus peacefully sleeping thanks to a certain Paul Belmondo, or that the grand prize of Rome-winner Paul Landowski sculptured the monument that is on Place Jacquard.

In cities like Paris or New York, open-air museums have been created, whereas Saint-Etienne's statues have been placed around the town for all to see. Paradoxically, their high visibility makes them all the more invisible to visitors. It seems that they would attract the attention and admiration that they deserve if they were confined to a museum.

Art in the city ...

Saint-Etienne has fulfilled its dream of having one of the top museums of modern and contemporary art in the country. In fact, its museum is considered to be the best outside of Paris, ranking second in the whole country, just behind the Beaubourg museum. The town, and the museum curators, Maurice Allemand and Bernard Ceysson, are to be commended for their talents in building up a collection which includes works of the best-known modern and contemporary artists in the world Claes Oldenbourg, Combas, Soulages, Dubuffet, Andy Warhol, Kandinsky, Léger, Picasso, Delaunay ... People come from all over and from the heart of Saint-Etienne thanks to the extension of the tram line to see this cultural treasure.

The importance of making art popular and accessible to all was understood long ago by Jean Dasté, who helped to make the Comédie de Saint-Etienne what it is today a first class theater whose performances of works by Molière, Brecht, Marivaux, Racine, Hugo and many other are acclaimed by the wide public.

The Esplanade, a municipal auditorium originally known as the Maison de la Culture, is much younger than the Comédie. Although it lacked an identity during its earlier years, it has acquired a solid reputation thanks to the caliber of the concerts presented there. The orchestra of Saint-Etienne, though created rather recently, has also become an asset to the town. The highlight of the musical season is the Massenet Festival, a biannual event dedicated to Jules Massenet, a native son of Saint-Etienne, whose works Manon, Werther, and Thaïs, among others, are like a musical legacy.

In October, the annual book fair, or Fête du Livre, has attracted ever larger crowds for the past ten years. In fact, the literary season begins in Saint-Etienne, where nominees for literary prizes are the town's guests of honor for three days.

All forms of Art are Saint-Etienne's guests of honor in May, when artists' workshops and collections can be visited all over the town. In 1998, a biannual celebration of design will be inaugurated, proving that the people of Saint-Etienne are not interested in football alone.

From the Green Wave of football fans ...

The glorious era of «green fever», when Saint-Etienne amazed soccer fans at home and abroad with the exploits of its legendary team, is only a memory today. The newly refurbished Geoffroy-Guichard stadium will relive a moment of glory in 1998, as Saint-Etienne is one of the ten towns which will host World Cup games.

... to future horizons ...

Defining this town is not a simple matter ; its identity is multiple and ever-evolving. It would be unfair to limit one's image of it to that of its past football fame. Nor can one rely on the past tense to describe it, for it is constantly reinventing itself.

Hit by successive waves of industrial crises which have devastated entire sections of the local economy, Saint-Etienne has never given up ... nor has it ever lost the fight.

The rue des Acieries area has become an industrial park, a veritable breeding-ground for new companies. Poles of excellence have been set up to attract new industries, an effort which is bearing its fruit today. The Mechanics Pole, the Water Pole, the Medical Technologies Pole, the Optics and Vision Pole, and the regional Industrial Automation Pole, are all networks which provide technical assistance and research support for the more than two thousand companies that depend on them.

Thanks to the reconstruction of its economic and industrial sectors pole by pole, Saint-Etienne can look to the future with more confidence. State-of-the-art production units and intelligently-designed industrial buildings are as reassuring as all the sales figures, and testify to the spirit of determination and initiative of the people here.

Saint-Etienne is worth a second look. It is indeed an endearing town, for those who leave the beaten path to explore its many facets and contemplate its sometimes cloudy, often bright, horizons.

Crédit photographique

© Christian Bruchet sauf :
P.9 : Maurice Farissier
p.100 : Corinne Poirieux

Imprimerie CHIRAT
Achevé d'imprimer : 4ᵉ trimestre 1997
Dépôt légal : décembre 1997 - N° 4587

© **STYLEGRAFIC** Riorges • 04 77 23 70 80